这本书属于：

. . . .

嗨，孩子们：

我跟你们差不多大时，特别喜欢在绘本里翻来覆去地找东西，尤其是那些搞笑有趣的小错误。现在，我虽然长大了，不知比你们大了多少，但我仍然记得那时在书中找错带给我的莫大快乐。

为此，我创作了一种专门用来找错的有趣绘本，它能让你们眼光犀利，感觉灵敏，注意力高度集中。为了让寻找的过程更加有趣，我在图画中隐藏了很多好玩的东西。这些东西在现实中是不存在的，或者说根本不属于那里。

好啦，孩子们，难道你们不想现在就试试吗？

但是请注意：有些错误一看便知，找起来一点儿都不难；有些错误却藏得很深，找起来并不容易。不信你就试试！

你们可以单挑，看看自己到底能发现多少。如果感觉一个人闯关有点儿吃力，那就发动亲朋好友一起来，比一比，看谁的眼睛最尖。

我猜你们一定会问："答案呢？"事实上它就在后面，只不过是缩小了一些。但是，一定要诚实，不许作弊！自己先找，然后看答案，好吗？

祝你们开心！

你们的拉尔夫·布奇科

德国经典专注力亲子游戏书

哪里不对劲

〔德〕拉尔夫·布奇科 文/图

王泰智 沈惠珠 译

文化发展出版社
Cultural Development Press

终于放假了，丽莎和小狗爆米花好开心，因为她们又能去外公外婆家玩了。一家人高高兴兴走进熟悉的火车站，丽莎心里别提有多激动了！

　　列车平稳地行驶在铁轨上，丽莎激动的心情却
无法平静。

突然间，她有了一种奇怪的感觉：
今天哪里好像不对劲，真的！

列车到站了，丽莎疑惑地看着四周，心里那种奇怪的感觉更强烈了："这还是从前那个车站吗？它不一样了！"不管怎样，丽莎还是很高兴，因为她发现外公外婆正向她招手呢。

外公外婆的家在农场里，在这儿度过假期别提
有多棒了。但是很可惜，丽莎看望外公外婆的机会
不多。趁着外公搬行李的工夫，丽莎决定去周围转转。

丽莎带着小狗爆米花来到牲口棚，她想看看这里是不跟她上次离开时一模一样。"嗯，好像没什么变化。"她想。可爱的小马特奥还站在原位，好像正跟她打招呼。

外婆把美味的点心端上桌。嗯，真好吃！可是，丽莎忽然觉得今天的餐厅有点儿不对劲，墙上的新布谷鸟钟吸引了她的注意。

吃过点心，丽莎乘着外公的拖拉机来到田野上。"真奇怪，我今天看见的所有东西好像都不正常！"丽莎心想。小狗爆米花也一脸迷茫。

丽莎最爱跟外公一起逛集市了。可是今天的集市
却乱了套，好多地方不对劲。丽莎牵着小狗爆米花，
小心翼翼地往前走。

集市旁边就是游乐场，那里有各种各样好玩的游戏，丽莎上了小火车。"真好玩！可我为什么老是觉得这里有什么不对劲呢？"丽莎小声问爆米花。当然了，爆米花也不知道答案。

回家途中，他们来到一个小湖边。丽莎惊奇地发现，这里跟游乐场一样，到处都不对劲。"我要下去凉快凉快！"跟外公说完，她就高兴地跳到水里，"哇，太好玩了！"

晚上，丽莎疲倦地躺在床上。
"好奇怪的一天！"她想，"到底
是哪里不对劲呢？"不管怎样，丽
莎还是期待明天快点儿到来。谁知
道明天还会有什么事情发生呢？

你发现了哪些
"错误"呢?

参考答案在这里:

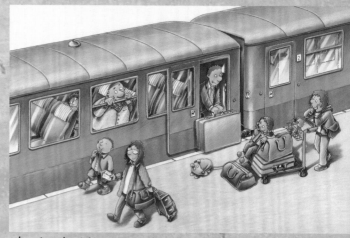

在火车站(没有错误)

车厢

列车到站

外公外婆家

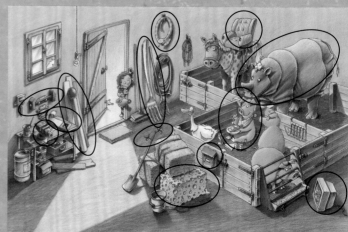

牲口棚

餐厅

田野

集市

游乐场

小湖

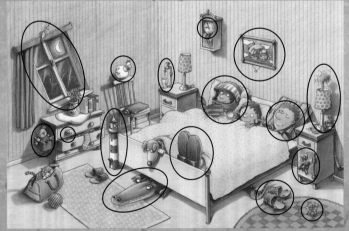

卧室

绿色印刷　保护环境　爱护健康

图书在版编目（CIP）数据

德国经典专注力亲子游戏书 / (德) 拉尔夫·布奇科著；
王泰智, 沈慧珠译. -- 北京：文化发展出版社有限公司, 2016.9（2017.9重印）
ISBN 978-7-5142-1512-0

Ⅰ.①德… Ⅱ.①拉… ②王… ③沈… Ⅲ.①智力游
戏—儿童读物 Ⅳ.①G898.2

中国版本图书馆CIP数据核字(2016)第221589号

图字：01-2016-7367

Was stimmt denn da nicht?
Baumhaus Verlag in der Bastei Luebbe AG
© 2004 Bastei Luebbe AG
Simplified Chinese translation copyright
© 2016 by Beijing Dipper Publishing Co.,Ltd.
All Rights Reserved.

本书简体中文版权经由北京华德星际文化传媒有限公司取得

德国经典专注力亲子游戏书（全3册）
哪里不对劲
文/图：〔德〕拉尔夫·布奇科　翻译：王泰智　沈惠珠

策划监制：王大齐
责任编辑：肖润征
特约编辑：马　赛　高　洁
装帧设计：贯　越　池津津

文化发展出版社出版发行
（北京市翠微路2号　100036）
www.wenhuafazhan.com
各地新华书店经销
北京尚唐印刷包装有限公司印刷
字数：15千字　　787毫米×1092毫米　　1/16　　印张：6
2016年10月第1版　2017年9月第6次印刷
ISBN：978-7-5142-1512-0
定价：60.00元（全3册）

如有印装质量问题，请与北斗童书馆联系调换，读者热线：13521202878